Gedichte von Frieden und Krieg

Edward Thomas in 1905

Edward Thomas

Gedichte von Frieden und Krieg

Poems of Peace and War

Übersetzt von

Roland Bär und Peter Whitfield

Illustriert von Peter Sullivan

Zweisprachige Ausgabe

Wychwood
MMXIV

Published in 2014 by

Wychwood Editions

Tachbrook House. Charlbury. Oxfordshire OX7 3PS. England

Copyright Roland Bär & Peter Whitfield

ISBN 978 0 9928223 16

INHALT   CONTENTS

INTRODUCTION

Edward Thomas was born in London in March 1878, and was killed in France in April 1917, at the Battle of Arras. He was not however a "war poet" like Wilfred Owen, for he wrote no poetry at all during the few months when he was serving at the Front. The war features as a background to several of his poems, all of which were written between 1914 and 1916, but the interest of Edward Thomas's work goes far beyond the war. He was a lonely and troubled man, socially an outsider, self-critical and dissatisfied with his life and his writings. All his adult life he sought for peace, peace of the heart and of the spirit. His life was a kind of war in which there were long periods of unhappiness, and brief moments of joy. Paradoxically he found peace finally in the war, which released him from a life which had become a burden to him.

He married young and had three children, and he was deeply conscious that it was his duty to work in order to support his wife and family. He had been writing since the age of sixteen, mostly nature-essays, some of which were published in newspapers. When he left Oxford in 1900, after studying history, he embarked on a career as a writer of commissioned prose works – mostly literary and biographical books, and books descriptive of the English countryside. Astonishingly, he produced thirty such books in fifteen years.

But this kind of writing became a form of slavery for him, and he became increasingly discontented and moody. He had something inside him that he longed to express, but he knew not how. It is probable that he suffered from what we should now call clinical depression. He would often live apart from his family for weeks at a time, visiting friends or undertaking long walking tours through southern England. However, his earnings from his books were small, and he never owned a home, but moved frequently from one rented house to another. Before 1917 he travelled abroad only once, for a solitary week in Paris in 1912.

His only true happiness was found in the English countryside, and the only true expression of his inner life was a form of nature-mysticism,

EINLEITUNG

Der Dichter, Literaturkritiker und Essayist Edward Thomas wurde im März 1878 in London geboren und starb im April 1917 in der Schlacht bei Arras, in Frankreich. Seine Gedichte enstanden während der Zeit des 1. Weltkrieges - ein "Kriegdichter", wie zum Beispiel Wilfred Owen (1893-1918), ist er jedoch nicht. Anders als dieser thematisierte Thomas nicht das unmittelbare Kriegsgeschehen, und während der Zeit seines Frontdienstes von Januar bis April 1917 verstummte er als Dichter gänzlich. Einige seiner in den Jahren 1914 bis 1916 geschriebenen Gedichte sprechen zwar vom Krieg, dies jedoch nur indirekt, sie zeigen, wie sich der Schatten des Krieges über das geliebte Heimatland legt. Sein poetisches Werk ist weit mehr als Kriegsdichtung. Thomas suchte sein ganzes Leben Frieden - Frieden im Herzen und im Geist. Er lebte in dem Zwiespalt, zum einen den Forderungen der äußeren Welt, in der er sich zeitlebens fremd fühlte, Genüge tun zu wollen, zum anderen den hohen Ansprüchen, die er an sich selbst als Dichter stellte, gerecht zu werden.

Bereits im Alter von sechzehn Jahren hatte Thomas mit dem Schreiben begonnen - es waren vor allem Aufsätze über die Natur, von denen einige in Zeitungen veröffentlicht wurden. Nach dem Studium der Geschichte in Oxford, verließ er 1900 die Stadt und begann seine Laufbahn als Berufsschriftsteller. Da er schon in jungen Jahren geheiratet hatte und Vater von drei Kindern war, musste er mit seiner Arbeit auch seine Familie ernähren. Ein tiefes Pflichtgefühl gegenüber Frau und Kindern bestimmte sein Arbeitspensum. Er schrieb Auftragswerke als Literaturkritiker, Biographien und Beschreibungen der englischen Landschaft. Seinen Arbeitsfleiß bezeugen dreißig Bücher, die er in nur fünfzehn Jahren verfasste. Dennoch waren die Einnahmen, die er mit seinen Büchern erzielte, gering; er besaß nie ein eigenes Haus, zog häufig um, von einem Mietshaus zum anderen. In seinem kurzen Leben fuhr er nur einmal ins Ausland - 1912 für eine Woche nach Paris und das allein.

Das Schreiben von Auftragswerken empfand er letztendlich als Sklavenarbeit, die ihn immer mehr unzufrieden werden ließ. Etwas in ihm verlangte nach poetischem Ausdruck, aber die Sprache dafür musste er erst noch finden. Thomas war ein einsamer, getriebener Mensch und ein sozialer Außenseiter. Er litt zunehmend unter Depressionen, die ihn zwangen, ärztliche

a sense of peace and unity which came to him from contact with wood-lands, from his beloved English downlands, from streams, flowers, bird-song, rain, wind and sunlight, and from ancient roads and paths which he loved to walk. He had a deep sympathy also with country people, who had lived their lives in the presence of nature. Sometimes he was able to use his commissioned prose works to express these feelings, and some of these passages were seen by Robert Frost, the American poet, who lived in England from 1912 to 1915. The two poets became friends, and Frost pointed out to Thomas that these passages could be written out as poems with very little alteration. This encouragement from Frost became a turning-point in Thomas's life, and in his final three years Thomas wrote all of his 150 poems. It is this small body of work, unpublished in his life-time, and not his thirty published books, which forms Edward Thomas's true legacy to the world. That Thomas did not at first recognise poetry as his true vocation, is one of the central mysteries of his life.

But by 1915, when these poems had begun to flow, Thomas's life had become almost intolerable to him. He felt completely trapped, and felt that his public career as a writer had been a failure. Although he had no political convictions, the only thing in the world he had ever truly loved was the countryside of England, and this love now gave him a per-sonal justification to fight for England, and perhaps to die for her. He enlisted voluntarily in the army, trained for a year as a junior gunnery officer, was posted to France in January 1917, and not long afterwards he was killed instantaneously by a shell blast. He probably regarded the war as an honourable means of escape from the life in which he felt helpless and trapped.

A collection of his poems was being prepared for publication when he died, and a second volume appeared in the following year. His poetic achievement was quickly recognised as unique. Restrained, under-stated, and in many ways traditional, his voice was nevertheless very modern in its sense of unease, of not belonging, even of nameless fear when faced by the mystery of our existence in an incomprehensible uni-verse. Only in nature did he find a measure of peace, and even there it was often mysterious, incomplete, and beyond his power to control, as

Hilfe aufzusuchen. Oft lebte er wochenlang getrennt von seiner Familie. In dieser Zeit unternahm er lange Wanderungen durch Südengland - machmal bis zu 30 Meilen an einem Tag - um Ruhe und inneren Frieden zu finden. Alles schien hier zu ihm zu sprechen: sein geliebtes englisches Hügelland, die Wälder, die Bäche, die Blumen, der Vogelgesang, der Regen, der Wind, das Sonnenlicht und die alten Wanderwege. Für die Menschen, die auf dem Land im Einklang mit der Natur lebten, empfand er eine tiefe Zuneigung. Die Naturerfahrungen und -betrachtungen äußerte er in einer Art Naturmystik, und diese Impressionen flossen auch in seine Auftragswerke ein. Dem Amerikaner Robert Frost (1874-1963), der von 1912 bis 1915 in England weilte, fielen diese Texte auf. Die beiden Dichter lernten sich persönlich kennen und wurden Freunde. Frost riet Thomas, einige dieser Textpassagen mit geringfügigen Änderungen zu Gedichten auszuarbeiten. Die Ermutigung durch den Freund bewirkte die entscheidende Wende im literarischen Schaffen von Edward Thomas. In den folgenden drei Jahren entstanden seine etwa 150 Gedichte. Nicht die dreißig veröffentlichten Bücher, sondern dieses Werk - vom Umfang her klein, individuell, privat, unveröffentlicht zu Lebzeiten - ist das wahre Erbe, das er der Welt hinterließ. Dass Thomas seine Berufung zum Dichter nicht früher erkannte, bleibt das Geheimnis seines Lebens.

In der produktiven Schaffensphase von 1915, die Verse fließen ihm aus der Feder, geriet er in eine schwere seelische Krise. Er befürchtete das Scheitern seiner Karriere als freier Schrifsteller, seine kreative Kraft glaubte er in der journalistischen Arbeit verloren zu haben. Diese Selbstzweifel gipfelten darin, dass er sich selbst als einen "Versager" empfand.

In seiner großen Liebe zur englischen Landschaft, und nicht in politischen Überzeugungen, gründete seine Entscheidung, für England in den Krieg zu ziehen und sein Leben für die Heimat opfern zu wollen. So trat er freiwillig in die Armee ein, absolvierte eine eineinhalbjährige Ausbildung zum Artillerieoffizier und wurde im Januar 1917 nach Frankreich abkommandiert, wo er wenige Wochen später von einem Artilleriegeschoss auf der Stelle getötet wurde. Möglicherweise betrachtete er den Krieg als eine ehrenvolle Art, einem Leben zu entkommen, in dem er sich hilflos und gefangen fühlte.

Eine Auswahl seiner Gedichte war bereits zum Zeitpunkt seines Todes für die Veröffentlichung vorbereitet, und ein zweiter Band erschien im folgenden Jahr. Das Einzigartige seines poetischen Werkes wurde bald erkannt. Zart und zurückhaltend ist seine Stimme, sein Stil traditionell. Das Lebensgefühl einer modernen Existenz kommt in diesen Versen zum Ausdruck. Thomas'

in "The Unknown Bird" or "The Glory". Many of his poems seem to hover on the edge of a meaning he cannot fully grasp or express, as in "Old Man" or "Liberty". In "The Gallows" he portrays himself as a dead thing, incapable of pleasure or pain, while his most despairing poem of all is probably "Rain," where he explicitly welcomes the premonition of an early death as the only possible redemption from his wounded life.

However, in spite of the dark forces that clearly threatened mind, Thomas left us in his poems innumerable images of the quiet beauty of the English countryside. His poems can only become more precious as time passes, as we are distanced further and further from the physical reality and beauty of nature, and from the spiritual peace which humanity was once able to find there. In this selection, the first in German, we have tried to capture ideas and feelings, not precise verse-forms. Thomas's poetry certainly possessed a music of its own, but it was music from within, the music of ideas, the music of truth, which does not lie in outward forms. Thomas gave his own private estimate of his poetry in delightful but coded form in "the Unknown Bird":

Three lovely notes he whistled, too soft to be heard
If others sang...

Gedichte sprechen von der Ruhelosigkeit, der Verlorenheit, der namenlosen Furcht des Menschen in einer unbegreiflich und bedrohlich gewordenen Welt. In "Der Unbekannte Vogel" und "Herrlichkeit" spricht Thomas von der Natur und ihrer Schönheit. Nichts vergleichbar Schönes scheint der Betrachter ihr entgegensetzen zu können. Geheimnisvoll und unfassbar bleibt ihm die Natur in all ihren Erscheinungen. Am Rande des Deut- und Sagbaren bewegen sich die Poeme "Alter Mann" oder "Freiheit". In "Der Galgen" beschreibt er sich selbst als ein totes Etwas, unfähig Freude oder Leid zu empfinden. Von tiefster Hoffnungslosigkeit durchdrungen ist das Gedicht "Regen", in dem er den Tod als die für ihn einzig mögliche Erlösung von seinem verzweifelten Leben willkommen heißt.

Neben diesen dunklen Szenerien hat Edward Thomas in seinen Gedichten unzählige Bildnisse von der ruhigen Schönheit der englischen Landschaft geschaffen. Seine Poeme können uns mit der Zeit nur wertvoller werden, je weiter wir uns von der Schönheit, Kraft und Harmonie der Natur entfernen und den spirituellen Frieden in ihr nicht mehr finden können.

Mit der vorliegenden Gedichtauswahl liegen zum ersten Mal Verse von Edward Thomas in deutscher Sprache vor. Diese Übersetzung möchte vor allem die Gedanken- und Gefühlswelt der Originallyrik bewahren und verzichtet dabei auf die Versgebung, denn nicht primär in der äußeren Form dieser Gedichte, vielmehr in der ihnen innewohnenden Wahrheit und ihrem geistigen Reichtum liegt der Zauber und die Musik dieser Poesie. In dem Gedicht "Der Unbekannte Vogel" versteckte Thomas eine entzückende, leicht verschlüsselt formulierte Einschätzung seines eigenen Werkes:

> *Drei liebliche Töne pfiff er, zu sanft, um gehört zu werden*
> *Wenn andere sangen...*

THE OWL

Downhill I came, hungry, and yet not starved;
Cold, yet had heat within me that was proof
Against the North wind; tired, yet so that rest
Had seemed the sweetest thing under a roof.

Then at the inn I had food, fire and rest,
Knowing how hungry, cold, and tired was I.
All of the night was quite barred out except
An owl's cry, a most melancholy cry

Shaken out long and clear upon the hill,
No merry note, nor cause of merriment,
But one telling me plain what I escaped
And others could not, that night, as in I went.

And salted was my food, and my repose,
Salted and sobered, too, by the bird's voice
Speaking for all who lay under the stars,
Soldiers and poor, unable to rejoice.

DIE EULE

Abwärts vom Hügel kam ich, hungrig, doch nicht verhungert;
Frierend, doch hatte ich eine Glut in mir, durch die ich gefeit war
Gegen den Nordwind; müde, so dass mir Rast
Unter einem Dach als das Süßeste erschien.

Dann im Wirtshaus bekam ich Speise, Feuer und Rast
Und wusste nun wie hungrig, durchgefroren und müde ich war.
Ganz ausgesperrt war die Nacht, nur nicht
Der Ruf einer Eule – ein Ruf voller Schwermut

Hallte zitternd, lang und klar vom Hügel her,
Kein fröhlicher Ton, kein Grund für Fröhlichkeit,
Aber klar das Eine mir berichtend, wovon ich entkam
Und die Anderen nicht, in jener Nacht, da ich eintrat.

Und gesalzen war meine Speise und mein Frieden,
Gesalzen und ernüchtert auch durch des Vogels Stimme,
Die für alle sprach, die unter den Sternen lagen,
Soldaten und Arme, die der Freude entsagen mussten.

THE NEW HOUSE

Now first, as I shut the door,
I was alone
In the new house; and the wind
Began to moan.

Old at once was the house,
And I was old;
My ears were teased with the dread
Of what was foretold,

Nights of storm, days of mist, without end;
Sad days when the sun
Shone in vain: old griefs, and griefs
Not yet begun.

All was foretold me; naught
Could I foresee;
But I learnt how the wind would sound
After these things should be.

DAS NEUE HAUS

Nun erst, als ich die Tür schloss,
War ich im neuen Haus
Allein; und der Wind
Begann zu klagen.

Alt auf einmal war das Haus,
Und ich war alt;
Meine Ohren quälte
Eine schreckliche Voraussage,

Stürmische Nächte, Tage im Nebel, ohne Ende;
Trübe Tage, an denen die Sonne
Vergeblich scheint: alte Leiden und
Noch nicht begonnene Leiden.

Alles war mir vorhergesagt; nichts
Konnte ich voraussehen;
Doch habe ich erfahren, wie der Wind klingen würde
Nachdem diese Dinge geschehen sind.

THE COMBE

The Combe was ever dark, ancient and dark.
Its mouth is stopped with bramble, thorn, and briar;
And no one scrambles over the sliding chalk
By beech and yew and perishing juniper
Down the half precipices of its sides, with roots
And rabbit holes for steps. The sun of Winter,
The moon of Summer, and all the singing birds
Except the missel-thrush that loves juniper,
Are quite shut out.

      But far more ancient and dark
The Combe looks since they killed the badger there,
Dug him out and gave him to the hounds,
That most ancient Briton of English beasts.

DIE TALSCHLUCHT

Die Talschlucht war immer finster, uralt und finster.
Ihr Eingang ist von Brombeeren, Dornen und Rosensträuchern versperrt;
Und keiner klettert über den rutschigen Kalkstein
Bei der Buche und Eibe und dem sterbenden Wacholder
Die Steilhänge ihrer Seiten hinab, mit Wurzeln
Und Kaninchenlöchern als Stufen. Die Wintersonne,
Der Sommermond und all die Singvögel
Finden keinen Einlass, außer der Misteldrossel,
Die den Wacholder liebt.

       Doch viel älter und finsterer
Sieht die Talschlucht aus, seitdem sie den Dachs dort töteten,
Ihn ausgruben und den Jagdhunden gaben,
Jenen ältesten Britanniern unter den englischen Biestern.

THE UNKNOWN BIRD

Three lovely notes he whistled, too soft to be heard
If others sang; but others never sang
In the great beech-wood all that May and June.
No one saw him: I alone could hear him
Though many listened. Was it but four years
Ago? or five? He never came again.

Oftenest when I heard him I was alone,
Nor could I ever make another hear.
La-la-la ! he called, seeming far-off —
As if a cock crowed past the edge of the world,
As if the bird or I were in a dream.
Yet that he travelled through the trees and sometimes
Neared me, was plain, though somehow distant still
He sounded. All the proof is — I told men
What I had heard.
                    I never knew a voice,
Man, beast, or bird, better than this. I told
The naturalists; but neither had they heard
Anything like the notes that did so haunt me
I had them clear by heart and have them still.
Four years, or five, have made no difference. Then
As now that La-la-la ! was bodiless sweet:
Sad more than joyful it was, if I must say
That it was one or other, but if sad
'Twas sad only with joy too, too far off
For me to taste it. But I cannot tell
If truly never anything but fair
The days were when he sang, as now they seem.
This surely I know, that I who listened then,
Happy sometimes, sometimes suffering
A heavy body and a heavy heart,
Now straightway, if I think of it, become
Light as that bird wandering beyond my shore.

DER UNBEKANNTE VOGEL

Drei liebliche Töne pfiff er, zu sanft, um gehört zu werden
Wenn andere sangen; doch andere sangen nie
Im großen Buchenwald den ganzen Mai und Juni.
Niemand hat ihn je gesehen: ich allein konnte ihn hören,
Obgleich manche lauschten. War es vor nur vier Jahren?
Oder fünf? Er kam nie wieder.

Oftmals wenn ich ihn hörte, war ich allein,
Und nie konnte ich ihn jemand anderen hören lassen.
La-la-la! rief er, scheinbar so fern
Als ob ein Hahn von jenseits der Grenze der Welt her schrie,
Als ob der Vogel oder ich in einem Traum wäre.
Doch dass er durch die Bäume schweifte und manchmal
Mir ganz nahe kam, war klar, jedoch irgwendwie noch von ferne
Erklangen seine Töne. Der ganze Beweis ist nur –
Ich erzählte anderen, was ich hörte.
          Nie habe ich eine Stimme
Von Mensch, Tier oder Vogel besser gekannt als diese.
Ich sprach mit den Naturforschern; aber keiner hatte je
Dergleichen Töne gehört, die mich so verfolgten,
Ich wusste sie auswendig und weiß sie noch immer.
Vier Jahre oder fünf haben nichts geändert. Damals
Wie jetzt war und ist jenes La-la-la! unkörperlich süß:
Mehr traurig als freudig war es, wenn ich sagen muss
Ob es das eine oder andere war, aber wenn traurig,
War es nur traurig mit einer Art Freude, zu ferne
Für mich es zu erfahren. Und ich kann nicht sagen,
Ob diese Tage, als er sang, wirklich
Nichts als heiter waren, so wie sie jetzt scheinen.
Dies weiß ich sicher, dass ich, der damals dieses hörte,
Manchmal glücklich, manchmal leidend,
Schweren Leibes und schweren Herzens war,
Jetzt, flugs wenn ich daran denke, werde ich leicht
Wie jener Vogel und schweife umher
Weit über meinen Strand hinaus.

WORDS

Out of us all
That make rhymes,
Will you choose
Sometimes -
As the winds use
A crack in a wall
Or a drain,
Their joy or their pain
To whistle through -
Choose me,
You English words ?

I know you:
You are light as dreams,
Tough as oak,
Precious as gold,
As poppies and corn,
Or an old cloak:
Sweet as our birds
To the ear,
As the burnet rose
In the heat
Of Midsummer:
Strange as the races of dead and unborn:
Strange and sweet
Equally,
And familiar,
To the eye,
As the dearest faces
That a man knows,
And as lost homes are;

WÖRTER

Aus uns allen
Die Reime machen
Werdet ihr manchmal wählen –

Wie die Winde
Einen Riss in einer Wand
Oder ein Rohr nutzen,
Um ihre Freude oder ihren Schmerz
Hindurch zu pfeifen –
Werdet ihr
Mich wählen,
Ihr englischen Wörter?

Ich kenne euch:
Ihr seid leicht wie Träume,
Hart wie Eiche,
Kostbar wie Gold,
Wie Mohn und Korn
Oder ein alter Mantel:
Süß wie unsere Vögel
Dem Ohr,
Wie die wilde Rose
In der Hitze
Des Hochsommers:
Geheimnisvoll wie die Geschlechter
Der Toten und Ungeborenen:
Geheimnisvoll und süß
In gleichem Maße
Und wohlbekannt
Dem Auge
Wie die liebsten Gesichter,

But though older far
Than oldest yew, -
As our hills are, old, -
Worn new
Again and again:
Young as our streams
After rain:
And as dear
As the earth which you prove
That we love.

Make me content
With some sweetness
From Wales
Whose nightingales
Have no wings, -
From Wiltshire and Kent
And Herefordshire,
And the villages there, -
From the names, and the things
No less.
Let me sometimes dance
With you,
Or climb
Or stand perchance
In ecstasy,
Fixed and free
In a rhyme,
As poets do.

Die man kennt,
Und wie verlorene Heimstätten:
Obwohl viel älter
Als die älteste Eibe -
Als unsre Hügel sind, alt -
Abgenutzt doch neu
Wieder und wieder;
Jung wie unsere Bäche
Nach dem Regen;
Und so lieb
Wie die Erde, der ihr beweist,
Dass wir sie lieben.

Erfreut mich
Mit etwas Süßem
Von Wales,
Dessen Nachtigallen
Keine Flügel haben -
Von Wiltshire und Kent
Und Herefordshire
Und den Dörfern dort -
Von den Namen und den Dingen
Nicht weniger.

Lasst mich dann und wann
Mit euch tanzen
Oder emporsteigen
Oder vielleicht stehen
In Ekstase,
Fest und frei
In einem Reim
Wie es Dichter tun.

IN MEMORIAM
Easter 1915

The flowers left thick at nightfall in the wood
This Eastertide call into mind the men,
Now far from home, who, with their sweethearts, should
Have gathered them and will never do again.

THE CHERRY TREES

The cherry trees bend over and are shedding,
On the old road where all that passed are dead,
Their petals, strewing the grass as for a wedding
This early May morn when there is none to wed.

ZUM GEDÄCHTNIS
Ostern 1915

Die Blumen dicht im Walde stehend, verlassen
Beim Einbruch der Nacht, erinnern in dieser Osterzeit an jene Männer,
Jetzt fern der Heimat, die mit ihren Liebchen sie hätten pflücken sollen
Und werden es nimmermehr tun.

DIE KIRSCHBÄUME

Die Kirschbäume neigen sich über die alte Straße und
Dort, wo all jene vorüberzogen, die jetzt tot sind, lassen sie
Ihre Blütenblätter fallen, das Gras bestreuend wie zu einer Hochzeit,
An diesem frühen Maimorgen, da es niemanden zu heiraten gibt.

THE WASP TRAP

This moonlight makes
The lovely lovelier
Than ever before lakes
And meadows were.

And yet they are not,
Though this their hour is, more
Lovely than the things that were not
Lovely before.

Nothing on earth,
And in the heavens no star,
For pure brightness is worth
More than that jar,

For wasps meant, now
A star – long may it swing
From the dead apple-bough,
So glistening.

DIE WESPENFALLE

Dies Mondlicht macht
Das Schöne schöner,
Seen und Wiesen schöner
Als sie jemals waren.

Doch sind sie nicht,
Obwohl dies ihre Stunde ist, schöner
Als die Dinge, die vorher
Nicht schön waren.

Nichts auf Erden
Und im Himmel kein Stern
Ist in seinem reinen Glanz kostbarer
Als dieses Glas,

Für Wespen gedacht, und nun
Ein Stern – lange möge es
Am toten Apfelzweig schwingen,
So glänzend.

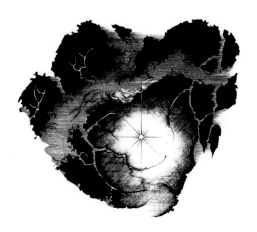

OLD MAN

Old Man, or Lad's-love, - in the name there's nothing
To one that knows not Lad's-love, or Old Man,
The hoar-green feathery herb, almost a tree,
Growing with rosemary and lavender.
Even to one that knows it well, the names
Half decorate, half perplex, the thing it is:
At least, what that is clings not to the names
In spite of time. And yet I like the names.

The herb itself I like not, but for certain
I love it, as some day the child will love it
Who plucks a feather from the door-side bush
Whenever she goes in or out of the house.
Often she waits there, snipping the tips and shrivelling
The shreds at last on to the path, perhaps
Thinking, perhaps of nothing, till she sniffs
Her fingers and runs off. The bush is still
But half as tall as she, though it is as old;
So well she clips it. Not a word she says;
And I can only wonder how much hereafter
She will remember, with that bitter scent,
Of garden rows, and ancient damson-trees
Topping a hedge, a bent path to a door,
A low thick bush beside the door, and me
Forbidding her to pick.

As for myself,
Where first I met the bitter scent is lost.
I, too, often shrivel the grey shreds,
Sniff them and think and sniff again and try
Once more to think what it is I am remembering,
Always in vain.

ALTER MANN

Alter Mann oder Knabenliebe – der Name sagt nichts
Dem, der Knabenliebe oder Alter Mann nicht kennt,
Jenes grau-grüne, fedrige Kraut, beinahe ein Baum,
Das neben Rosmarin und Lavendel wächst.
Diese Namen, halb schmücken sie das Wesen,
Halb verwirren sie darüber, selbst den, der es gut kennt:
Zumindest ist das, was es ist, nicht an diese Namen gebunden,
Der Zeit zum Trotz. Und doch, ich liebe diese Namen.

Das Kraut selbst mag ich nicht, sicher aber
Liebe ich es, wie eines Tages das Kind es lieben wird,
Das vom Busch an der Tür jedes Mal eine Feder pflückt,
Wenn sie ins Haus geht oder heraustritt.
Oft verweilt sie dort, die Spitzen abschneidend und
Die Stücke zuletzt auf dem Wege zerreißend, vielleicht
Denkend, vielleicht an nichts, bis sie an ihren Fingern riecht
Und fortläuft. Der Busch, obwohl schon alt,
Ist immer noch halb so gross wie sie;
So gut stutzt sie ihn. Nicht ein Wort spricht sie;
Und ich kann mich nur fragen, wieviel sie sich künftig
Erinnern wird, hervorgerufen durch den bitteren Duft,
An die Gartenreihen und die uralten Damaszenerbäume,
Die eine Hecke krönen, an einen krummen Pfad zu einer Tür,
Einen niedrigen, dichten Busch neben der Tür und an mich,
Der ihr das Pflücken verbietet.

      Und ich:
Wo ich diesen bitteren Duft zuerst roch, vergaß ich.
Oft zerreiße ich auch die grauen Stücke,
Rieche an ihnen und denke und rieche wieder und versuche
Noch einmal zu begreifen, was es ist, das ich erinnere,
Vergeblich allemal.

I cannot like the scent,
Yet I would rather give up others more sweet,
With no meaning, than this bitter one.
I have mislaid the key. I sniff the spray
And think of nothing; I see and hear nothing;
Yet seem, too, to be listening, lying in wait
For what I should, yet never can, remember:

No garden appears, no path, no hoar-green bush
Of Lad's-love, or Old Man, no child beside,
Neither father nor mother, nor any playmate;
Only an avenue, dark, nameless, without end.

Diesen Duft mag ich nicht,
Doch würde ich lieber andere, süßere,
Bedeutunglose hergeben, als diesen einen bitteren.
Ich habe den Schlüssel verlegt. Ich rieche an dem Zweig
Und denke an nichts; ich sehe und höre nichts;
Mir scheint aber auch, dass ich lausche, dass ich lauere
Auf das, was ich erinnern sollte, aber nie erinnern kann:

Kein Garten erscheint mir, kein Pfad, kein grau-grüner Busch
Namens *Alter Mann* oder *Knabenliebe*, kein Kind daneben,
Weder Vater noch Mutter, noch Spielkamerad;
Nur eine Allee, finster, namenlos, ohne Ende.

THE GLORY

The glory of the beauty of the morning, -
The cuckoo crying over the untouched dew;
The blackbird that has found it, and the dove
That tempts me on to something sweeter than love;
White clouds ranged even and fair as new-mown hay;
The heat, the stir, the sublime vacancy
Of sky and meadow and forest and my own heart:
The glory invites me, yet it leaves me scorning
All I can ever do, all I can be,
Beside the lovely of motion, shape, and hue,
The happiness I fancy fit to dwell
In beauty's presence. Shall I now this day
Begin to seek as far as heaven, as hell,
Wisdom or strength to match this beauty, start
And tread the pale dust pitted with small dark drops,
In hope to find whatever it is I seek,
Hearkening to short-lived happy-seeming things
That we know naught of, in the hazel copse ?
Or must I be content with discontent
As larks and swallows are perhaps with wings ?
And shall I ask at the day's end once more
What beauty is, and what I can have meant
By happiness ? And shall I let all go,
Glad, weary, or both ? Or shall I perhaps know
That I was happy oft and oft before,
Awhile forgetting how I am fast pent,
How dreary-swift, with naught to travel to,
Is Time ? I cannot bite the day to the core.

HERRLICHKEIT

Die Herrlichkeit des Morgenwunders,
Der Kuckuck rufend über den unberührten Tau;
Die Amsel, die sie fand, und die Taube
Verlockten mich zu Süßerem als Liebe;
Weiße Wolkenreihen, eben und schön wie frisch gemähtes Heu;
Die Hitze, die Bewegung, die erhabene Leere
Des Himmels, der Wiesen, des Waldes und meines Herzens:
Die Herrlichkeit lädt mich ein, doch lässt sie mich verachten
All mein Tun, alles was ich sein kann,
Im Vergleich mit der Schönheit der Bewegung, Gestalt und Farbe,
Das Glück, denke ich, vermag
In der Schönheit Gegenwart zu wohnen. Soll ich jetzt, an diesem Tag,
Beginnen zu suchen, so weit Himmel und Hölle reichen,
Nach Weisheit oder Kraft, um dieser Schönheit zu entsprechen, beginnen
Und auf den bleichen Staub treten,
Den mit kleinen dunklen Tröpfchen gefleckten,
In der Hoffnung, zu finden was immer ich suche,
Kurzlebigen, froh scheinenden Dingen lauschend,
Von denen wir nichts wissen, im Haselstrauchwäldchen?
Oder muss ich mit der Unzufriedenheit zufrieden sein,
Wie es vielleicht Lerchen und Schwalben mit ihren Flügeln sind?
Und soll ich am Tagesende noch einmal fragen
Was das Schöne ist und was ich meinte
Mit Glück? Und soll ich alles loslassen,
Froh, müde oder beides? Oder werde ich vielleicht erkennen,
Dass ich bereits glücklich war, oft und oft,
Eine Weile vergessend, wie fest ich eingepfercht bin,
Wie öde-schnell, mit keinem Reiseziel
Alle Zeit ist? Ich kann den Tag
Nicht beißen bis zum Kern.

THE MANOR FARM

The rock-like mud unfroze a little and rills
Ran and sparkled down each side of the road
Under the catkins wagging in the hedge.
But earth would have her sleep out, spite of the sun;
Nor did I value that thin gilding beam
More than a pretty February thing
Till I came down to the old Manor Farm,
And church and yew-tree opposite, in age
Its equals and in size. The church and yew
And farmhouse slept in a Sunday silentness.
The air raised not a straw. The steep farm roof,
With tiles duskily glowing, entertained
The mid-day sun; and up and down the roof
White pigeons nestled. There was no sound but one.
Three cart-horses were looking over a gate
Drowsily through their forelocks, swishing their tails
Against a fly, a solitary fly.

The Winter's cheek flushed as if he had drained
Spring, Summer, and Autumn at a draught
And smiled quietly. But 'twas not Winter –
Rather a season of bliss unchangeable
Awakened from farm and church where it had lain
Safe under tile and thatch for ages since
This England, Old already, was called Merry.

DAS GUTSHERRENHAUS

Der steinartige Schlamm taute ein wenig,
Und entlang der Straßenseiten flossen und funkelten Rinnsale
Unter den Kätzchen, die in der Hecke winkten.
Die Erde jedoch wollte ausschlafen, der Sonne zum Trotz;
Und diesen leicht gleitenden Strahl hatte ich nicht
Für mehr gehalten als eine nette Laune des Februars,
Bis ich zum alten Gutsherrenhaus herabkam
Und zu der Kirche und der Eibe gegenüber, die in Alter
Und Größe sich gleichen. Kirche und Eibe und Gutshaus
Schliefen in einem Sontagsschweigen.
Die Lüfte hoben keinen Strohhalm. Das steile Dach,
Dessen Ziegel düster leuchteten, lud die Mittagssonne
Zu sich ein; und weiße Tauben, im Auf und Ab, schmiegten sich
An das Dach. Da war kein Laut, bis auf den einen.
Drei Zugpferde schauten über ein Tor,
Schläfrig durch ihre Stirnlocken hindurch, ihre Schweife
Gegen eine Fliege schwenkend, eine einzelne Fliege.

Die Wange des Winters errötete, als ob er Frühling,
Sommer und Herbst in einem Zug ausgetrunken hätte
Und friedlich lächelte. Doch war es nicht Winter,
Sondern eine Zeit der Glückseligkeit, unverwandelbar,
Die im Haus und in der Kirche erwachte, wo sie sicher
Unter Ziegel und Strohdach jahrhundertelang geruht hatte,
Seitdem dieses England, nun schon *Alt, Fröhlich* genannt wurde.

TALL NETTLES

Tall nettles cover up, as they have done
These many springs, the rusty harrow, the plough
Long worn out, and the roller made of stone:
Only the elm butt tops the nettles now.

This corner of the farmyard I like most:
As well as any bloom upon a flower
I like the dust on the nettles, never lost
Except to prove the sweetness of a shower.

THE GALLOWS

There was a weasel lived in the sun
With all his family,
Till a keeper shot him with his gun
And hung him up on a tree,
Where he swings in the wind and rain,
In the sun and in the snow,
Without pleasure, without pain,
On the dead oak tree bough.

There was a crow who was no sleeper,
But a thief and a murderer
Till a very late hour; and this keeper
Made him one of the things that were,
To hang and flap in rain and wind,
In the sun and in the snow.
There are no more sins to be sinned
On the dead oak tree bough.

HOHE NESSELN

Hohe Nesseln verdecken, wie sie es
In vielen Frühlingen taten, die rostige Egge, den Pflug,
Lange verschlissen, und die Steinrolle:
Nur der Stumpf der Ulme ragt nun über die Nesseln.

Diese Ecke des Bauernhofes mag ich am meisten:
So lieb wie die Blüten an einer Blume
Ist mir der Staub auf den Nesseln, der nie verlorengeht,
Es sei denn, dass er die Süße des Regens kostet.

DER GALGEN

Da war ein Wiesel, das lebte in der Sonne,
Mit seiner ganzen Familie,
Bis ihn ein Förster erschoss mit seinem Gewehr
Und ihn aufhing an einen Baum,
Wo er schwingt im Wind und Regen,
In der Sonne und im Schnee,
Ohne Freude, ohne Pein,
An dem toten Ast der Eiche.

Da war eine Krähe, die war keine Schläferin,
Jedoch eine Diebin und Mörderin,
Bis zu einer späten Stunde; und dieser Förster
Machte sie zu einem von den Dingen die einst waren,
Um zu hängen und zu flattern im Regen und Wind,
In der Sonne und im Schnee.
Dort gibt es keine Sünden mehr zu sündigen
An dem toten Ast der Eiche.

There was a magpie, too,
Had a long tongue and a long tail;
He could both talk and do –
But what did that avail ?
He, too, flaps in the wind and rain
Alongside weasel and crow,
Without pleasure, without pain,
On the dead oak tree bough.

And many other beasts
And birds, skin, bone, and feather,
Have been taken from their feasts
And hung up there together,
To swing and have endless leisure
In the sun and in the snow,
Without pain, without pleasure,
On the dead oak tree bough.

Da war auch eine Elster,
Die hatte eine lange Zunge und einen langen Schwanz;
Sie konnte beides, schwätzen und schaffen –
Doch was nützte das?
Auch sie flattert jetzt im Wind und Regen,
Neben Wiesel und Krähe,
Ohne Freude, ohne Pein,
An dem toten Ast der Eiche.

Und viele andere Tiere
Und Vögel, Haut, Knochen und Feder,
Wurden von ihren Schmäusen geholt
Und dort aufgehängt, um nebeneinander zu schwingen
Und endlose Muße zu genießen,
In der Sonne und im Schnee,
Ohne Pein, ohne Freude,
An dem toten Ast der Eiche.

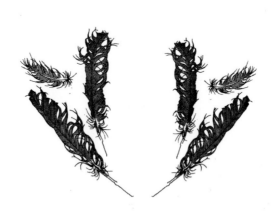

THE MILL-POND

The sun blazed while the thunder yet
Added a boom:
A wagtail flickered bright over
The mill-pond's gloom:

Less than the cooing in the alder
Isles of the pool
Sounded the thunder through that plunge
Of waters cool.

Scared starlings on the aspen tip
Past the black mill
Outchattered the stream and the next roar
Far on the hill.

As my feet dangling teased the foam
That slid below
A girl came out. "Take care!" she said —
Ages ago.

DER MÜHLTEICH

Die Sonne strahlte, während der Donner
Noch ein Dröhnen hinzufügte;
Hell flatterte eine Bachstelze
Über das Dunkel des Mühlteichs:

Sanfter als das Girren auf den Erlen-
Inseln des Teiches
Tönte der Donner durch das Stürzen
Des kühlen Wassers.

Auf dem Espenwipfel, jenseits der schwarzen Mühle,
Schwatzten laut erschrockene Stare
Über den Strom und das nächste Grollen
Auf dem fernen Hügel.

Indes meine herabhängenden Füße
Mit dem Schaum spielten, der unten vorüberglitt,
Erschien ein Mädchen. "Vorsicht!" sagte sie –
Vor vielen Jahren.

She startled me, standing quite close
Dressed all in white:
Ages ago I was angry till
She passed from sight.

Then the storm burst, and as I crouched
To shelter, how
Beautiful and kind, too, she seemed,
As she does now!

IT WAS UPON

It was upon a July evening.
At a stile I stood, looking along a path
Over the country by a second Spring
Drenched perfect green again. "The lattermath
Will be a fine one." So the stranger said,
A wandering man. Albeit I stood at rest
Flushed with desire I was. The earth outspread,
Like meadows of the future, I possessed.

And as an unaccomplished prophecy
The stranger's words, after the interval
Of a score years, when those fields are by me
Never to be recrossed, now I recall,
This July eve, and question, wondering,
What of the lattermath to this hoar Spring ?

Sie erschrak mich, sehr nah stand sie,
Ganz in Weiß gekleidet:
Vor vielen Jahren war ich zornig,
Bis sie meinem Blick entschwand.

Dann brach der Sturm los, und als ich mich bückte
Um Schutz zu finden, wie
Schön und auch gütig erschien sie mir da
Und erscheint sie mir jetzt!

EIN ABEND IN JULI

Es war an einem Abend im Juli.
Ich stand an einem Zauntritt und schaute den Weg entlang
Über das Land, das, getränkt von einem zweiten Frühling,
Wieder ein makelloses Grün trug. "Die nächste Mahd
Wird sehr gut sein." So sagte der Fremde,
Ein Wandersmann. Obgleich nun beruhigt,
War ich doch voller Sehnsucht. Die Erde, ausgebreitet
Wie die Wiesen der Zukunft, war mein.

Und wie an eine nicht wahr gewordene Prophezeiung
Erinnere ich mich jetzt an die Worte des Fremden,
An jenen Abend im Juli, nach einer Zeit von zwanzig Jahren,
In denen ich jene Felder nicht wieder betrat,
Und frage mich: was für eine Mahd folgt
Auf diesen weißgrauen Frühling?

THE LONG SMALL ROOM

The long small room that showed willows in the west
Narrowed up to the end the fireplace filled,
Although not wide. I liked it. No one guessed
What need or accident made them so build.

Only the moon, the mouse and the sparrow peeped
In from the ivy round the casement thick.
Of all they saw and heard there they shall keep
The tale for the old ivy and older brick.

When I look back I am like moon, sparrow and mouse
That witnessed what they could never understand
Or alter or prevent in the dark house.
One thing remains the same – this my right hand

Crawling crab-like over the clean white page,
Resting awhile each morning on the pillow,
Then once more starting to crawl on towards age.
The hundred last leaves stream upon the willow.

DAS LANGE SCHMALE ZIMMER

Das lange schmale Zimmer, das auf die Weiden im Westen zeigte,
Obwohl schon nicht breit, verengte sich am Ende
Ausgefüllt durch einen Kamin. Ich mochte es. Niemand erriet
Welcher Grund oder Zufall sie so bauen ließ.

Nur der Mond, die Maus und der Sperling schauten
Durch das von dichtem Efeu umrahmte Fenster hinein.
Von all dem, was sie dort sahen und hörten, werden sie die Geschichte
Für den alten Efeu und den noch älteren Ziegelstein bewahren.

Wenn ich zurückdenke, bin ich wie Mond, Sperling und Maus,
Die in diesem dunklen Haus Zeugen waren von etwas,
Das sie nicht verstehen oder ändern oder verhindern konnten.
Eine Sache bleibt sich gleich – diese meine rechte Hand

Kriechend, einem Krebs gleich, über die reine weiße Seite,
Eine Weile jeden Morgen auf dem Kissen ruhend,
Alsdann beginnt sie noch einmal zu kriechen, dem Alter zu.
Die letzten hundert Blätter wehen an der Weide.

ROADS

I love roads:
The goddesses that dwell
Far along invisible
Are my favourite gods.

Roads go on
While we forget, and are
Forgotten like a star
That shoots and is gone.

On this earth 'tis sure
We men have not made
Anything that doth fade
So soon, so long endure:

The hill road wet with rain
In the sun would not gleam
Like a winding stream
If we trod it not again.

They are lonely
While we sleep, lonelier
For lack of the traveller
Who is now a dream only.

From dawn's twilight
And all the clouds like sheep
On the mountains of sleep
They wind into the night.

The next turn may reveal
Heaven: upon the crest
The close pine clump, at rest
And black, may Hell conceal.

STRASSEN

Ich liebe Straßen:
Die Göttinen, die dort wohnen,
Weithin unsichtbar,
Sind meine Lieblingsgötter.

Straßen bleiben,
Während wir vergessen
Und vergessen sind wie ein Stern,
Der aufblitzt und dahin ist.

Auf dieser Erde, dies ist sicher,
Haben wir Männer nichts geschaffen,
Das so schnell verschwindet,
So lange besteht:

Die Hügelstraße, nass vom Regen,
Glänzte nicht in der Sonne
Wie ein sich windender Strom,
Würden wir sie nicht wieder betreten.

Während wir schlafen
Sind sie einsam, einsamer
Da ihnen der Reisende fehlt,
Der jetzt nur ein Traum ist.

Aus der Morgendämmerung kommend
Und all den Wolken, wie Schafe
Auf den Bergen des Schlafes,
Winden sie sich in die Nacht.

Die nächste Kurve mag den Himmel
Zeigen: die dichte Kieferngruppe
Auf dem Hügel, reglos
Und schwarz, mag die Hölle verbergen.

Often footsore, never
Yet of the road I weary,
Though long and steep and dreary,
As it winds on for ever.

Helen of the roads,
The mountain ways of Wales
The Mabinogion tales,
Is one of the true gods,

Abiding in the trees,
The threes and fours so wise,
The larger companies,
That by the roadside be,

And beneath the rafter
Else uninhabited
Excepting by the dead;
And it is her laughter

At morn and night I hear
When the thrush cock sings
Bright irrelevant things,
And when the chanticleer

Calls back to their own night
Troops that make loneliness
With their light footsteps' press,
As Helen's own are light.

Now all roads lead to France
And heavy is the tread
Of the living; but the dead
Returning lightly dance:

Fußwund oft, bin ich
Doch nie der Straße müde, obwohl
Sie lang und steil und öde
Ewig in Windungen sich hinzieht.

Helen von den Straßen,
Den Bergstraßen von Wales
Und aus den Mabinogion-Erzählungen,
Ist eine der wahren Götter,

In den Bäumen verweilend,
Die Dreie und Viere so weise,
Und die größeren Gesellschaften,
Die am Straßenrand leben

Und unter den Dachsparren,
Die sonst unbewohnt sind
Außer von den Toten;
Und es ist ihr Gelächter,

Das ich am Morgen und bei Nacht höre,
Wenn die Drossel
Fröhliche belanglose Dinge singt,
Und wenn der Hahn

Zurückruft zu ihrer eigenen Nacht
Die Truppen, die Einsamkeit schaffen
Mit dem Drängen ihrer leichten Schritte,
Leicht wie Helen's eigene sind.

Jetzt führen alle Straßen nach Frankreich,
Und wuchtig ist der Tritt
Der Lebenden; jedoch die Toten,
Die heimkehren, tanzen leicht:

Whatever the road bring
To me or take from me,
They keep me company
With their pattering,

Crowding the solitude
Of the loops over the downs,
Hushing the roar of towns
And their brief multitude.

SWEDES

They have taken the gable from the roof of clay
On the long swede pile. They have let in the sun
To the white and gold and purple of curled fronds
Unsunned. It is a sight more tender-gorgeous
At the wood-corner where Winter moans and drips
Than when, in the Valley of the Tombs of Kings,
A boy crawls down into a Pharaoh's tomb
And, first of Christian men, beholds the mummy,
God and monkey, chariot and throne and vase,
Blue pottery, alabaster, and gold.

But dreamless long-dead Amen-hotep lies.
This is a dream of Winter, sweet as spring.

Was auch immer die Straße
Mir bringt oder von mir nimmt,
Mit ihrem Getrippel
Begleiten sie mich,

Sie drängen die Einsamkeit
Der Kurven über das Hügelland,
Besänftigen das Brausen der Städte
Und ihre flüchtige Menschenmenge.

KOHLRÜBEN

Sie nahmen den Giebel des irdenen Daches
Vom langen Haufen der Kohlrüben ab. Sie ließen die Sonne
Hinein zu dem Weiß und Gold und Purpur der unbeschienenen
Lockigen Wedel. Diese Waldecke, wo der Winter ächzt und tropft,
Ist ein zarterer und herrlicherer Anblick,
Als wenn im Tal der Königsgräber
Ein Knabe in das Grab eines Pharaos hinunterkriecht,
Und der erste Christenmensch die Mumie erblickt,
Gott und Affe, Streitwagen und Thron und Vase,
Blaue Tonwaren, Alabaster und Gold.

Doch traumlos und lange tot liegt Amen-hotep.
Dies ist ein Wintertraum, süß wie der Frühling.

THE BRIDGE

I have come a long way today:
On a strange bridge alone,
Remembering friends, old friends,
I rest, without smile or moan,
As they remember me without smile or moan.

All are behind, the kind
And the unkind too, no more
Tonight than a dream. The stream
Runs softly yet drowns the Past,
The dark-lit stream has drowned the Future and the Past.

No traveller has rest more blest
Than this moment brief between
Two lives, when the Night's first lights
And shades hide what has never been,
Things goodlier, lovelier, dearer, than will be or have been.

DIE BRÜCKE

Ich bin heute von weither gekommen:
Raste allein auf einer fremden Brücke,
Mich erinnernd der Freunde, alter Freunde,
Ohne zu lächeln oder zu klagen, so wie sie sich
An mich erinnern, ohne zu lächeln oder zu klagen.

Alle bleiben zurück, die Liebevollen und auch die Lieblosen,
Nichts mehr als ein Traum in dieser Nacht. Sanft
Fließt der Strom, die Vergangenheit ertränkend;
Der dunkel-erleuchtete Strom hat Zukunft
Und Vergangenheit ertränkt.

Kein Reisender hat gesegnetere Rast
Als diesen flüchtigen Augenblick zwischen zwei Leben,
Da die ersten Lichter und Schatten der Nacht verbergen
Was nie gewesen ist, anmutigere, schönere, teurere Dinge
Als jene, die kommen oder gewesen sind.

THE SUN USED TO SHINE

The sun used to shine while we two walked
Slowly together, paused and started
Again, and sometimes mused, sometimes talked
As either pleased, and cheerfully parted

Each night. We never disagreed
Which gate to rest on. The to be
And the late past we gave small heed.
We turned from men or poetry

To rumours of the war remote
Only till both stood disinclined
For aught but the yellow flavorous coat
Of an apple wasps had undermined;

Or a sentry of dark betonies,
The stateliest of small flowers on earth,
At the forest verge; or crocuses
Pale purple as if they had their birth

In sunless Hades fields. The war
Came back to mind with the moonrise
Which soldiers in the east afar
Beheld then. Nevertheless, our eyes

Could as well imagine the Crusades
Or Caesar's battles. Everything
To faintness like those rumours fades –
Like the brook's waters glittering

DIE SONNE PFLEGTE ZU SCHEINEN

Die Sonne pflegte zu scheinen, wenn wir zwei langsam
Zusammen spazierengingen, stehenblieben, weitergingen,
Manchmal in Gedanken versunken, manchmal sprachen,
Wie es uns beiden gefiel, und uns jede Nacht fröhlich

Voneinander trennten. Wir stritten nie
An welchem Tor zu rasten sei. Wenig Beachtung schenkten wir
Der Zukunft und der jüngsten Vergangenheit.
Von Männern und Dichtung wandten wir uns ab

Hin zu den Gerüchten über den fernen Krieg, doch nur
Bis wir beide still standen, für nichts anderes begeistert
Als für die gelbe, duftende Schale
Eines von Wespen ausgehöhlten Apfels;

Oder eine Schildwache dunkler Betonien,
Den stattlichsten unter den kleinen Blumen der Erde,
Dort am Waldrand; oder Krokusse, blasspurpurn,
Als ob sie in den sonnenlosen Feldern

Des Hades geboren wären. Die Gedanken an den Krieg
Kamen wieder mit dem Aufgang des Mondes,
Der auch von den Soldaten fern im Osten angeschaut wurde.
Jedoch könnten sich unsere Augen

Ebenso gut die Kreuzzüge
Oder Caesars Schlachten vorstellen.
Alles vergeht in Undeutlichkeit wie diese Gerüchte -
Wie das im Mondlicht glänzende Wasser des Baches -

Under the moonlight — like those walks
Now — like us two that took them, and
The fallen apples, all the talks
And silences — like memory's sand

When the tide covers it late or soon,
And other men through other flowers
In those fields under the same moon
Go talking and have easy hours.

A PRIVATE

This ploughman dead in battle slept out of doors
Many a frozen night, and merrily
Answered staid drinkers, good bedmen, and all bores:
"At Mrs. Greenland's Hawthorn Bush," said he,
"I slept." None knew which bush. Above the town,
Beyond "The Drover," a hundred spot the down
In Wiltshire. And where now at last he sleeps
More sound in France — that, too, he secret keeps.

Wie jene Spaziergänge jetzt scheinen - wie wir zwei,
Die damals gingen, und die gefallenen Äpfel,
All die Gespräche und all das Schweigen -
Wie der Sand der Erinnerungen,

Wenn die Flut ihn später oder schon bald bedeckt,
Und andere Männer durch andere Blumen
In jenen Feldern unter demselben Mond
Gehen und reden und unbeschwerte Stunden haben.

EIN GEMEINER SOLDAT

Dieser Pflüger, gestorben in der Schlacht, schlief oft im Freien
In frostiger Nacht, und fröhlich antwortete er
Biederen Trinkern, guten Bettmännern und allen Langweilern:
"Bei Frau Grünlands Weißdornbusch", sagte er,
"Schlief ich." Keiner kannte den Busch. Oberhalb der Stadt,
Jenseits vom *Viehtreiber*, hat das Hügelland einhundert Flecken
In Wiltshire.
        Und wo er nun, letztendlich,
Tiefer schläft in Frankreich – auch das bleibt sein Geheimnis.

ADLESTROP

Yes, I remember Adlestrop -
The name, because one afternoon
Of heat the express-train drew up there
Unwontedly. It was late June.

The steam hissed. Someone cleared his throat.
No one left and no on came
On the bare platform. What I saw
Was Adlestrop - only the name

And willows, willow-herb, and grass,
And meadowsweet, and haycocks dry,
No whit less still and lonely fair
Than the high cloudlets in the sky.

And for that minute a blackbird sang
Close by, and round him, mistier,
Farther and farther, all the birds
Of Oxfordshire and Gloucestershire.

ADLESTROP

Ja, ich errinere mich an Adlestrop -
An den Namen, weil eines heißen Nachmittags
Der Schnellzug dort zum Stehen kam,
Ungewöhnlich. Es war später Juni.

Der Dampf zischte. Jemand räusperte sich.
Niemand verließ und niemand betrat
Den leeren Bahnsteig. Was ich sah
War Adlestrop - nur den Namen

Und Weiden, Weidenröschen und Gras
Und Mädesüß und trockene Heuschober,
Kein bisschen weniger still und einsam schön
Als hoch am Himmel die Wölkchen.

Und in diesem Augenblick sang, ganz nah,
Eine Amsel und ringsum dann, im Chor,
Ferner und ferner, all die Vögel
Von Oxfordshire und Gloucestershire.

LIBERTY

The last light has gone out of the world, except
This moonlight lying on the grass like frost
Beyond the brink of the tall elm's shadow.
It is as if everything else had slept
Many an age, unforgotten and lost -
The men that were, the things done, long ago,
All I have thought; and but the moon and I
Live yet and here stand idle over a grave
Where all is buried. Both have liberty
To dream what we could do if we were free
To do some thing we had desired long,
The moon and I. There's none less free than who
Does nothing and has nothing else to do,
Being free only for what is not to his mind,
And nothing is to his mind. If every hour
Like this one passing that I have spent among
The wiser others when I have forgot
To wonder whether I was free or not,
Were piled before me, and not lost behind,
And I could take and carry them away
I should be rich; or if I had the power
To wipe out every one and not again
Regret, I should be rich to be so poor.
And yet I still am half in love with pain,
With what is imperfect, with both tears and mirth,
With things that have an end, with life and earth,
And this moon that leaves me dark within the door.

FREIHEIT

Das letzte Licht ist aus der Welt verschwunden außer
Diesem Mondlicht, das wie Frost auf dem Gras
Jenseits des Schattenrandes der hohen Ulme liegt.
Es ist, als ob alles andere lange Zeit geschlafen hat,
Unvergessen und verloren - die Männer,
Die einst waren, die Dinge, die vor langer Zeit getan wurden,
Alles was ich gedacht habe; und nur der Mond und ich
Leben noch und stehen untätig über dem Grab, hier
Wo alles beerdigt ist. Beide haben wir die Freiheit
Zu träumen, was wir tun könnten, wenn wir frei wären
Lange Ersehntes zu tun, der Mond und ich.
Niemand ist weniger frei als jener,
Der nichts tut und nichts anderes zu tun hat, als
Nur frei zu sein für das, was ihm nicht gefällt,
Und nichts gefällt ihm. Wenn jede Stunde,
Wie diese vorübergehende, die ich unter
Den weiseren Anderen verbrachte, da ich vergaß
Zu fragen, ob ich frei sei oder nicht,
Vor mir aufgetürmt und nicht versäumt hinter mir wäre,
Und ich sie nehmen und davontragen könnte,
Wäre ich reich; oder wenn ich die Kraft hätte,
Eine jede auszulöschen und nie wieder zu bereuen,
Wäre ich reich, so arm zu sein.
Doch bin ich noch halb verliebt in das Leiden,
In das Unvollkommene, in beides, die Tränen
Und die Heiterkeit, in die Dinge, die ein Ende haben,
In das Leben und die Erde und in diesen Mond,
Der mich nun bei der Tür im Finstern zurücklässt.

THE BROOK

Seated once by a brook, watching a child
Chiefly that paddled, I was thus beguiled.
Mellow the blackbird sang and sharp the thrush
Not far off in the oak and hazel brush,
Unseen. There was a scent like honeycomb
From mugwort dull. And down upon the dome
Of the stone the cart-horse kicks against so oft
A butterfly alighted. From aloft
He took the heat of the sun, and from below.
On the hot stone he perched contented so,
As if never a cart would pass again
That way; as if I were the last of men
And he the first of insects to have earth
And sun together and to know their worth.
I was divided between him and the gleam,
The motion, and the voices, of the stream,
The waters running frizzled over gravel,
That never vanish and for ever travel.
A grey flycatcher silent on a fence
And I sat as if we had been there since
The horseman and the horse lying beneath
The fir-tree-covered barrow on the heath,
The horseman and the horse with silver shoes,
Galloped the downs last. All that I could lose
I lost. And then the child's voice raised the dead.
"No one's been here before" was what she said
And what I felt, yet never should have found
A word for, while I gathered sight and sound.

DER BACH

Einst an einem Bach sitzend beobachtete ich ein Kind,
Das voll Hingabe plantschte - ich war bezaubert.
Nicht weit entfernt, unsichtbar in der Eiche und im Haselstrauch,
Sang heiter eine Amsel und schrill eine Drossel,
Ein Duft wie von Honigwaben kam vom Gemeinen Beifuß.
Und unten auf der Wölbung des Steins,
Gegen die der Karrengaul so oft stößt,
Ließ sich ein Schmetterling nieder. Aus der Höhe
Und von der Erde empfing er die Wärme der Sonne.
Auf dem heißen Stein thronte er zufrieden, so
Als würde nie wieder ein Karren auf diesem Weg
Vorüberkommen; als ob ich der letzte Mann
Und er das erste Insekt wäre, die Erde und Sonne
Gemeinsam zu besitzen und ihre Reichtümer zu erkennen.
Geteilt fühlte ich mich zwischen ihm und dem Glanz,
Der Bewegung und den Stimmen des Baches,
Den Wassern, die kräuselnd über die Kiesel fließen,
Nie versiegen und immer weiterwandern.
Ein grauer Fliegenschnäpper saß still auf einem Zaun,
Und ich saß, so als ob wir seitdem dort gewesen wären,
Als damals der Reiter und das Pferd, nun unter dem
Tannenbedeckten Grabhügel liegend –
Der Reiter und das Pferd mit silbernen Hufeisen –
Das letzte Mal über das Hügelland stürzten.
Alles was ich verlieren konnte verlor ich.
Und dann erweckte die Stimme des Kindes die Toten.
"Niemand ist hier je zuvor gewesen", war was es sagte
Und was ich fühlte, dafür jedoch nie ein Wort gefunden hätte,
Während ich Bildnisse und Töne sammelte.

THE MILL-WATER

Only the sound remains
Of the old mill;
Gone is the wheel;
On the prone roof and walls the nettle reigns.

Water that toils no more
Dangles white locks
And, falling, mocks
The music of the mill-wheel's busy roar.

Pretty to see, by day
Its sound is naught
Compared with thought
And talk and noise of labour and of play.

Night makes the difference.
In calm moonlight,
Gloom infinite,
The sound comes surging in upon the sense:

Solitude, company, -
When it is night, -
Grief or delight
By it must haunted or concluded be.

Often the silentness
Has but this one
Companion;
Wherever one creeps in the other is:

Sometimes a thought is drowned
By it, sometimes
Out of it climbs;
All thoughts begin or end upon this sound,

DER MÜHLBACH

Von der alten Mühle bleibt
Nur der Ton;
Dahin ist das Rad;
Auf dem abschüssigen Dach und den Mauern herrscht die Nessel.

Das Wasser, das sich nicht mehr müht,
Lässt weiße Locken hängen
Und spottet fallend
Der Musik des Mühlrads fleißigem Getöse.

Schön anzuschauen, bei Tag
Ist sein Ton nichts
Verglichen mit Gedanken
Und Gespräch und Lärm von Arbeit und Spiel.

Mit der Nacht kommt die Verwandlung.
Bei stillem Mondlicht,
In ungeheurer Finsternis
Dringt der Ton aufbrausend in den Sinn:

Einsamkeit, Geselligkeit,
Kummer oder Wonne:
Wenn die Nacht kommt,
Wird durch ihn alles verwunschen oder beendet sein.

Oft hat das Schweigen
Nur diesen Begleiter:
Wohin auch immer man kriecht
Ist schon der Andere:

Manchmal wird ein Gedanke
Durch ihn übertönt, manchmal
Steigt er aus ihm hervor; mit diesem Ton
Beginnen oder enden alle Gedanken,

Only the idle foam
Of water falling
Changelessly calling,
Where once men had a work-place and a home.

JULY

Naught moves but clouds, and in the glassy lake
Their doubles and the shadow of my boat.
The boat itself stirs only when I break
This drowse of heat and solitude afloat
To prove if what I see be bird or mote,
Or learn if yet the shore woods be awake.

Long hours since dawn grew, – spread, and passed on high
And deep below, – I have watched the cool reeds hung
Over images more cool in imaged sky:
Nothing there was worth thinking of so long;
All that the ring-doves say, far leaves among,
Brims my mind with content thus still to lie.

Nur der träge Schaum
Des fallenden Wassers,
Unverändlich rufend,
Dort, wo einst die Menschen eine Werkstatt und ein Zuhause hatten.

JULI

Nichts bewegt sich außer den Wolken und auf dem glasigen See
Ihre Ebenbilder und der Schatten meines Bootes.
Das Boot rührt sich nur, wenn ich die Schläfrigkeit in der Hitze
Und die Einsamkeit auf dem See störe,
Um zu prüfen was ich sehe, ob dies ein Vogel oder Stäubchen sei,
Oder um zu erfahren, ob der Uferwald noch wache.

Lange Stunden, seit die Morgenröte aufging, sich ausbreitete und in der Höhe
Und tief unten vorüberzog, schaute ich das kühle Schilfgras an,
Das über die noch kühleren Bildnisse des gespiegelten Himmels hing:
Nichts war da wert, lange bedacht zu werden;
Alles was die Ringeltauben sagen unter dem fernen Laub,
Still so zu liegen, erfüllt mit Glückseligkeit meinen Sinn.

AS THE TEAM'S HEAD BRASS

As the team's head brass flashed out on the turn
The lovers disappeared into the wood.
I sat among the boughs of the fallen elm
That strewed the angle of the fallow, and
Watched the plough narrowing a yellow square
Of charlock. Every time the horses turned
Instead of treading me down, the ploughman leaned
Upon the handles to say or ask a word,
About the weather, next about the war.
Scraping the share he faced towards the wood,
And screwed along the furrow till the brass flashed
Once more.

      The blizzard felled the elm whose crest
I sat in, by a woodpecker's round hole,
The ploughman said. "When will they take it away?"
"When the war's over." So the talk began –
One minute and an interval of ten,
A minute more and the same interval.
"Have you been out ?" "No." "And don't want to perhaps?"
"If I could only come back again, I should.
I could spare an arm. I shouldn't want to lose
A leg. If I should lose my head, why, so,
I should want nothing more." "Have many gone
From here?" "Yes." "Many lost?" "Yes a good few.
Only two teams work on the farm this year.
One of my mates is dead. The second day
In France they killed him. It was back in March,
The very night of the blizzard, too.

ALS BEI DER WENDUNG

Als bei der Wendung
Das Messing an den Köpfen des Gespanns aufblitzte,
Zogen sich die Liebenden in den Wald zurück.
Ich saß zwischen den Ästen der gefallenen Ulme,
Die verstreut auf dem Brachewinkel lagen,
Und beobachtete wie der Pflug ein gelbes Viereck von Ackersenf
Einengte. Jedes Mal, wenn die Pferde wendeten,
Lehnte sich der Pflüger, anstatt mich niederzutreten,
Gegen die Griffe, um ein Wort zu sagen oder zu fragen
Über das Wetter, als nächstes dann über den Krieg.
Indem er den Pflug abkratzte, blickte er zu dem Wald,
Dann zog er die Furche weiter, bis das Messing
Wieder blitzte.
          Der Schneesturm fällte die Ulme, in deren Krone
Ich einst neben einem runden Spechtloch saß,
So sagte der Pflüger. "Wann werden sie sie fortschaffen?"
"Wenn der Krieg zu Ende ist." So begann das Gespräch –
Eine Minute lang, und zehn Minuten Pause,
Wieder eine Minute, und dann dieselbe Pause.
"Sind Sie draußen gewesen?" "Nein."
"Und vielleicht wollen Sie nicht?"
"Doch, wenn ich nur wieder heimkehren würde.
Einen Arm könnte ich entbehren. Ein Bein möchte ich nicht
Verlieren. Wenn ich meinen Kopf verlöre,
Also, dann würde ich gar nichts mehr wünschen…"
"Sind viele von hier gegangen?" "Ja." "Viele verloren?"
"Ja, ziemlich viele. Nur zwei Gespanne
Arbeiten dieses Jahr auf dem Bauernhof.
Einer von meinen Gehilfen ist tot. Am zweiten Tag
In Frankreich haben sie ihn getötet. Das war im März,
Gerade in der Nacht des Schneesturms.

                    Now if
He had stayed here we should have moved the tree."
"And I should not have sat here. Everything
Would have been different. For it would have been
Another world." "Ay, and a better, though
If we could see all, all might seem good."

                    Then
The lovers came out of the wood again:
The horses started and for the last time
I watched the clods crumble and topple over
After the ploughshare and the stumbling team.

                         Nun,
Wenn er hiergeblieben wäre, hätten wir den Baum fortgezogen."
"Und ich säße nicht hier. Alles
Wäre ganz anders. Denn es wäre eine andere Welt."
"Ja, freilich, und eine bessere, doch
Wenn wir alles sehen könnten, möchte gar alles gut scheinen."

Dann traten die Liebenden wieder aus dem Wald:
Die Pferde liefen los, und zum letzten Mal
Sah ich die Schollen zerbrechen und hinter der Pflugschar
Und dem stolpernden Gespann umstürzen.

LIGHTS OUT

I have come to the borders of sleep,
The unfathomable deep
Forest where all must lose
Their way, however straight
Or winding, soon or late;
They cannot choose.

Many a road and track
That, since the dawn's first crack,
Up to the forest brink
Deceived the travellers,
Suddenly now blurs,
And in they sink.

Here love ends,
Despair, ambition ends;
All pleasure and all trouble,
Although most sweet or bitter,
Here ends in sleep that is sweeter
Than tasks most noble.

There is not any book
Or face of dearest look
That I would not turn from now
To go into the unknown
I must enter, and leave, alone,
I know not how.

The tall forest towers;
Its cloudy foliage lowers
Ahead, shelf above shelf;
Its silence I hear and obey
That I may lose my way
And myself.

LICHTER ERLÖSCHEN

An die Grenzen des Schlafes bin ich gekommen,
Jenen unergründlich tiefen Wald,
Wo alle ihren Weg verlieren müssen,
Wie dieser auch sei, gerade
Oder sich windend, früh oder spät,
Zu wählen haben sie nicht.

Die Straßen und Pfade, die
Seit dem Anbruch der Morgendämmerung
Die Reisenden bis an den Rand
Des Waldes irreführten,
Verdunkeln nun plötzlich,
Und sie sinken hinein.

Hier endet die Liebe,
Verzweiflung und Ehrgeiz enden;
Alle Freude und alle Sorge,
Wenn auch noch so süß oder bitter,
Enden hier im Schlaf, der süßer ist
Als die edelsten Aufgaben.

Es gibt kein Buch
Oder so liebes Gesicht,
Von dem ich mich nicht abwendete,
Um in das Unbekannte zu gehen,
Das ich allein betreten und verlassen muss,
Ich weiß nicht wie.

Der hohe Wald türmt sich empor;
Nach vorn zu blickt sein dunkles Laub
Drohend, Schicht über Schicht;
Sein Schweigen höre ich und folge,
Auf dass ich meinen Weg verliere
Und mich selbst.

RAIN

Rain, midnight rain, nothing but the wild rain
On this bleak hut, and solitude, and me
Remembering again that I shall die
And neither hear the rain nor give it thanks
For washing me cleaner than I have been
Since I was born into this solitude.
Blessed are the dead that the rain rains upon:
But here I pray that none whom once I loved
Is dying tonight or lying still awake
Solitary, listening to the rain,
Either in pain or thus in sympathy
Helpless among the living and the dead,
Like a cold water among broken reeds,
Myriads of broken reeds all still and stiff,
Like me who have no love which this wild rain
Has not dissolved except the love of death,
If love it be for what is perfect and
Cannot, the tempest tells me, disappoint.

REGEN

Regen, Mitternachtsregen, nichts als der wilde Regen
Auf diese karge Hütte und Einsamkeit und ich,
Mich wieder erinnernd, dass ich sterben werde
Und den Regen weder hören noch ihm dafür danken kann,
Dass er mich reiner wäscht, als ich es jemals war,
Seit ich in diese Einsamkeit geboren wurde.
Gesegnet sind die Toten, auf die der Regen fällt:
Doch hier bete ich, dass keiner, den ich einst liebte,
Heute Nacht stirbt oder wach liegt,
Einsam, dem Regen lauschend,
Entweder in Qual oder in Mitleid,
Hilflos unter den Lebenden und den Toten,
Wie kaltes Wasser unter gebrochenem Ried,
Myriaden von gebrochenen Halmen, reglos alle und starr,
Wie ich, der keine Liebe hat, die dieser wilde Regen
Nicht vergehen ließ, außer der Liebe zum Tod,
Die, wenn es Liebe zu etwas Vollendetem ist,
Sagt mir der Sturm, nicht enttäuschen kann.

OUT IN THE DARK

Out in the dark over the snow
The fallow fawns invisible go
With the fallow doe;
And the winds blow
Fast as the stars are slow.

Stealthily the dark haunts round
And, when the lamp goes, without sound
At a swifter bound
Than the swiftest hound,
Arrives, and all else is drowned;

And star and I and wind and deer,
Are in the dark together, - near,
Yet far, - and fear
Drums on my ear
In that sage company drear.

How weak and little is the light,
All the universe of sight,
Love and delight,
Before the might,
If you love it not, of night.

DRAUSSEN IM DUNKELN

Draußen im Dunkeln geht über den Schnee
Unsichtbar das junge Damwild
Mit der Hirschkuh;
Und der Wind weht schnell,
Langsam indes drehen sich die Sterne.

Heimlich spukt das Dunkel umher,
Und wenn die Lampe lautlos erlischt,
Kommt es mit schnellerem Sprung
Als der schnellste Hund,
Und alles versinkt darin.

Und Stern und ich und Wind und Hirsch
Sind zusammen im Dunkeln - nah
Und doch fern - und Angst
Hämmert auf meine Ohren ein,
In dieser Gesellschaft, so weise, so freudlos.

Oh, wie schwach und klein ist doch das Licht,
Die ganze sichtbare Welt,
Die Liebe und die Freude
Vor der Macht – wenn du sie nicht liebst –
Der Nacht.

THE WIND'S SONG

Dull-thoughted, walking among the nunneries
Of many a myriad anemones
In the close copses, I grew weary of Spring
Till I emerged and in my wandering
I climbed the down, up to a lone pine clump
Of six, the tallest dead, one a mere stump.
On one long stem, branchless and flayed and prone,
I sat in the sun listening to the wind alone,
Thinking there could be no old song so sad
As the wind's song; but later none so glad
Could I remember as that same wind's song
All the time blowing the pine boughs among.
My heart that had been still as the dead tree,
Awakened by the West wind, was made free.

LIED DES WINDES

In trüben Gedanken, wandelnd zwischen nonnengleichen
Unzähligen Windröschen, fühlte ich in den dichten Wäldchen,
Wie mich der Frühling ermüdete,
Bis ich heraustrat und auf meiner Wanderung
Das Hügelland erstieg, hinauf zu einer einsamen Gruppe
Von sechs Kiefern, von denen die höchste tot
Und eine nichts als ein Stumpf war. Auf einem
Langen Stamm, der astlos, geschunden und hingestreckt lag,
Saß ich in der Sonne, dem Wind allein lauschend,
Denkend, dass da kein altes Lied so traurig sei
Wie dieses Windlied; doch konnte ich mich später
An kein so frohes erinnern wie an ebendieses Windlied,
Zwischen den Kiefernzweigen allezeit wehend.
Mein Herz, das reglos war wie der tote Baum,
Erwachte nun durch den Westwind und wurde befreit.

ANMERKUNGEN

31. "Alter Mann" oder "Knabenliebe": Volksnamen für den kleinen Strauch *Artemisia abrotanum*.

37. "Altes England" und "Fröhliches England" sind sprichwörtlich.

39. "Der Galgen": ohne Zweifel ein ironisches Selbstbildnis des Dichters, in dem er seine tiefe Lebensverzweiflung ausdrückt.

47. "Das Lange Schmale Zimmer": das Refugium des Dichters. Thomas mietete für viele Jahre ein unweit seines Familienhauses stehendes kleines Landhaus an, wo er in Ruhe schreiben konnte.

57. "Die Sonne Pflegte zu Scheinen": der Kamerad ist der amerikanische Dichter Robert Frost.

59. "Drover / Viehtreiber": ist ein Wirtshausname. "Wiltshire": eine Grafschaft in England.

61. "Adlestrop": ein kleines Dorf an der Grenze von Oxfordshire und Gloucestershire. Der Bahnhof von Adlestrop ist stillgelegt, die Züge halten schon lange nicht mehr an diesem Ort.

79. "Draußen im Dunkeln": wahrscheinlich sein letztes Gedicht, im Dezember 1916 geschrieben, wenige Tage vor seiner Abfahrt nach Frankreich.

81. "Lied des Windes": die letzten zwei Zeilen verdeutlichen das innige Gefühl des Dichters für die Natur.

TEXTGRUNDLAGEN

Aus der Vielzahl der vorhandenen Editionen der "Collected Poems of Edward Thomas," deren Textvarianten nur geringfügig vonaneinder abweichen, haben wir uns meistens für die älteste entschieden. Redakteur dieser erst 1920 veröffentlichten Ausgabe war der mit Thomas befreundete Dichter Walter de la Mare. Auch aus der neueren, 1978 von Oxford University Press herausgegebenen Ausgabe, deren Redakteur R.G. Thomas war, haben wir Texte verwendet. Die Zeichensetzung von Edward Thomas, insbesondere seine Vorliebe für das Komma, wirkt gelegentlich etwas eigenwillig. Hier und da haben wir ein überflüssiges, vielleicht verwirrendes Komma ausgestrichen.

Das letzte Licht ist aus der Welt verschwunden außer
Diesem Mondlicht, das wie Frost auf dem Gras
Jenseits des Schattenrandes der hohen Ulme liegt.

"Freiheit"